Presente para

....

De

....

Data

....

Coloque uma foto de seu filho aqui

A lei do Senhor *é perfeita...*
Os preceitos do Senhor*;*
são justos [...]
o temor do Senhor *é puro* [...]
são mais desejáveis do que o ouro e mais doces
do que o mel...
[...] *há grande recompensa em obedecer-lhes.*

Salmos 19:7-11

A Bíblia dos PEQUENINOS

Mack Thomas
Ilustrado por Joe Stites

Título original em inglês
The First Step Bible

3ª edição brasileira: 2004
4ª reimpressão: fevereiro de 2023

Tradução
Rubens Castilho

Revisão
Carlos Augusto Pires Dias

Adaptação de diagramação
Atis Design Ltda.

Adaptação de capa
Atis Design Ltda.

Editor
Aldo Menezes

Coordenador de produção
Mauro Terrengui

Impressão e acabamento
Imprensa da Fé

Editora Hagnos Ltda.
Rua Geraldo Flausino Gomes, 42, conj. 41
CEP 04575-060 — São Paulo, SP
Tel.: (11) 5990-3308

E-mail: hagnos@hagnos.com.br
Home page: www.hagnos.com.br

Editora associada à:

Dados Internacionais de Catalogação na Publicação (CIP)
(Câmara Brasileira do Livro)

Thomas, Mack
A Bíblia dos pequeninos: lendo e participando da história bíblica/ Mack Thomas; ilustrado por Joe Stites; [tradução Rubens Castilho]. 3. ed. - São Paulo: Hagnos, 2004.

Título original: The First Step Bible

ISBN 85-243-0319-0

1. Bíblia - Uso por crianças 2. Histórias bíblicas - Literatura infanto-juvenil I. Stites, Joe. II. Título

04-5115 CDD-220.9505

Índices para catálogo sistemático:

1. Histórias bíblicas recontadas 220.9505

Sumário

Histórias do Antigo Testamento

Histórias do Novo Testamento

Histórias do Antigo Testamento

Eu vi o que Deus fez

Meu nome é Adão. O que eu vi?
Vi o sol brilhante feito por Deus.
E Deus disse: “Isto é bom!”

Vi a lua e as estrelas feitas por Deus.
Ele disse: “Isto é bom!”

Vi as flores e as árvores feitas por Deus.
Ele disse: “Isto é bom!”

Vi os peixes e os pássaros feitos por Deus.
Ele disse: "Isto é bom!"

Vi os animais, meus amigos feitos por Deus.
Ele disse: “Eles são bons!”

Vi Eva, a mulher feita por Deus...

Vi tudo que Deus fez!
Ele disse: “Tudo isto é MUITO BOM!”

Deus me fez, fez você e
muitas coisas boas!

Onde está a água?

Olá! Meu nome é Noé.
Ouvi Deus dizer:
"Noé, faça um BARCO BEM GRANDE".
Por isso, eu fiz um
BARCO BEM GRANDE.

Mas onde está a água para pôr o barco?
Deus disse: “A água vem vindo”.

O barco ficou pronto!
Os bichinhos chegaram para entrar no barco.
Mas onde estava a água?

A água vem vindo!

Os bichos GRANDES vieram para entrar no barco.
Mas onde estava a água?

A água vem vindo!

Minha família veio para entrar no barco.
Mas onde estava a água?
A água vem vindo!

Deus fechou a porta para que todos fossem salvos.

E AQUI vem a ÁGUA!
Água de todo lado!

Dentro do barco, Deus salvou as pessoas...

... até o dia em que a água foi embora.
Então Deus disse:
"Saiam todos do barco!"
Ficamos alegres pois Deus nos salvou!

Nosso próprio bebezinho

Meu nome é Abraão.
Sara é minha mulher.
Nós tínhamos vacas e ovelhas.
Mas não tínhamos nosso próprio bebezinho.

Deus disse: “Mostrarei um novo lugar
onde você vai morar.”

Nesse lugar novo, tínhamos mais vacas
e mais ovelhas.
Mas não tínhamos nosso próprio bebezinho.

Uma noite Deus disse:
“ Abraão! Olhe para o céu.

Você vê as milhares de estrelas?
Você terá muitos, muitos filhos e netos".

Então Deus disse:
"Em breve lhe darei um bebezinho".
Será que Deus fará isso?

SIM! Este é o nosso bebezinho, um menino!
Oh, como eu gosto dele!
Ele é um presente de Deus!

Uma escada até o céu

Oi! Meu nome é Jacó.
Estava viajando. Era uma viagem muito longa.
O sol se escondeu e eu estava muito cansado.
Onde vou dormir?

Dormi no chão.
Uma pedra era meu travesseiro.
Boa noite!

Enquanto dormia, sonhei com escadas.
Elas iam até ao céu, até Deus.
Os anjos subiam e desciam os degraus da escada,
Subiam e desciam, subiam e desciam.

Então escutei Deus dizer: “Jacó, eu tomarei conta de você nessa longa viagem. Você chegará direitinho em sua casa”.

Que bela manhã depois de uma noite tão especial!
Nunca esquecerei a escada subindo até o céu.

Sempre prestarei atenção e verei
como Deus cuida de mim!

Deus me disse o que fazer

Meu nome é José.
Olhe em minhas mãos. O que você vê?
São grãos.
Precisávamos desses grãos para fazer pão —
um pão bem gostoso para comer. Hummm!

Todos tinham muitos grãos.
Muitos grãos para fazer muitos pães.
Não precisávamos de tantos grãos assim.
O que faríamos?

Eu sabia o que fazer,
pois Deus me disse.
Então falei: “Venham todos aqui!
Podemos guardar os grãos
para que não estraguem”.

Veja! O que aconteceu?
Acabou todo o pão.
Ninguém mais tem grãos.
E não podiam fazer pão.
Logo todos ficariam com fome.
O que faríamos?

Eu sei o que fazer,
pois Deus me disse.
E falei: “Venham todos aqui!
Aqui estão os grãos que guardamos.
Peguem estes grãos e façam mais pão”.

Quando Deus disse o que deveria fazer, eu escutei.
E todos ficaram alegres.

O bebê na cesta

Meu nome é Miriã.
Eu tenho um irmão, um bebezinho.
Um rei malvado queria machucá-lo.
O que farei?

Minha mãe fez uma cesta, que é um barco.
Ela colocou meu irmãozinho nela.
Ela escondeu a cesta no rio.

Eu esperei...
Queria ver o que aconteceria.

De repente, veio uma princesa!

Ela viu a cesta
e o bebê.

Meu irmãozinho chorou:
Uaaaaa! Uaaaaa!

Então perguntei à princesa:
“Você gostaria que uma pessoa ajudasse a cuidar deste bebê?”.

A princesa respondeu: “Quero”.

Minha mãe e eu ajudamos a princesa
a cuidar do meu irmãozinho.

Então a princesa disse:
"Eu encontrei este bebê no rio.
Eu vou chamá-lo Moisés".

Como passaremos pelo mar?

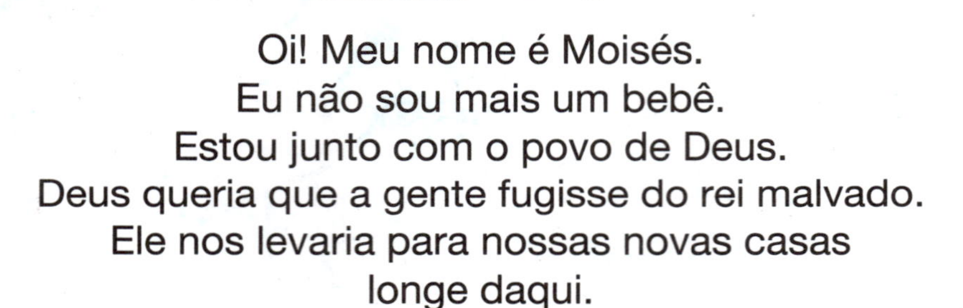

Oi! Meu nome é Moisés.
Eu não sou mais um bebê.
Estou junto com o povo de Deus.
Deus queria que a gente fugisse do rei malvado.
Ele nos levaria para nossas novas casas
longe daqui.

Mas o rei malvado não queria deixar a gente ir.
Por isso Deus mandou MUITAS rãs
para castigar o rei.

Depois Deus mandou MUITAS moscas.

Depois Deus mandou MUITOS gafanhotos.
Logo o rei malvado deixará a gente ir
para as nossas novas casas.

Agora podíamos ir! Mas as nossas novas casas ficavam muito longe. Precisávamos passar por toda esta água. Como passaríamos pelas águas?

Veja como Deus nos ajudou!
Deus tirou a água do nosso caminho!
Agora podíamos continuar andando e chegar
a nossas novas casas.

E estávamos muito contentes!

Fome e sede

Nossas casas novas ainda estavam muito longe.
Então o povo de Deus disse: “Moisés, não há nenhuma comida aqui para comermos.
Estamos CANSADOS
e com FOME!”.

Por isso, orei a Deus.
E Deus respondeu: “Amanhã de manhã
vocês encontrarão comida no chão”.

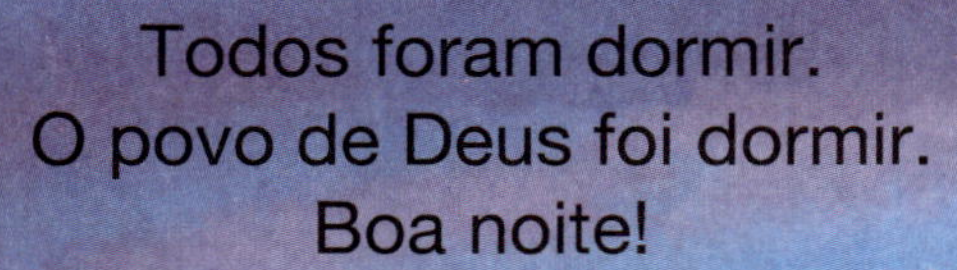

Todos foram dormir.
O povo de Deus foi dormir.
Boa noite!

Acordem! Já é de manhã!
Vejam a comida toda espalhada pelo chão —
esta boa comida para comermos!

Mas agora o povo de Deus me disse:
“Moisés, não há nenhuma água por aqui
para bebermos.
Estamos com CALOR e com SEDE!”

Por isso, orei a Deus. E Ele respondeu:
“A água sairá daquela pedra”.

Veja a água —
água fresca para gente beber!
Deus cuidou tanto de nós!

Nossas casas novas

Meu nome é Josué.
Deus quer que eu ajude o povo dele.
Estávamos prontos para achar nossas casas novas.
Onde ficarão nossas casas novas?

Vejam! Nossas casas novas estão do outro lado do rio.
Tudo aquilo será nosso.

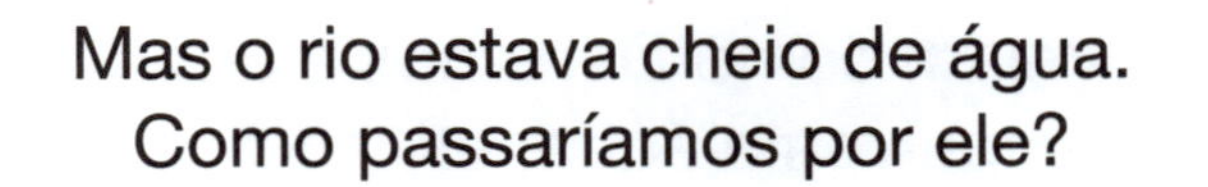

Mas o rio estava cheio de água.
Como passaríamos por ele?

Vejam como Deus nos ajudou!
Deus empurrou a água, e o rio ficou seco!
Agora podíamos ir para nossas novas casas.
E estávamos contentes!

Um soldado valente

Olá! Meu nome é Gideão.
O povo de Deus morava em novas casas.
Mas outras pessoas malvadas nos maltratavam.
Quem nos ajudará?

Um anjo enviado por Deus apareceu e disse:
"VOCÊ é um soldado valente, Gideão!
VOCÊ pode ajudar o povo de Deus!
Deus lhe dará coragem!".

Por isso eu toquei minha trombeta bem alto!
TA-TA-DA! TA-TA-DA! TA-TA-DA!
E muitos soldados apareceram.
Juntos ajudamos o povo de Deus.

Deus ouviu minha oração

Meu nome é Ana. Eu estava chorando
porque não tinha um bebezinho.
Por isso, eu orei a Deus: “Senhor Deus,
por favor, me dê um bebezinho”.
Será que Deus faria isso?

SIM! Este é o meu novo bebê.
Seu nome é Samuel.
Ele é um presente de Deus!

Alguém me chama

Oi! Meu nome é Samuel.
Agora, eu não sou mais um bebê.
Eu sou um ajudante desse homem, Eli.
Eu o ajudava quando orava a Deus.

Agora, era hora de dormir. Boa noite!
Tudo estava escuro.
Tudo estava quieto.

Escute! Ouvi alguma coisa!
Alguém dizia:

"SAMUEL! SAMUEL!"

“Aqui estou Eli!”
Eli acordou e disse: “Mas eu não o chamei.
Volte para sua cama, Samuel.”

Então eu voltei para cama.

Mas eu ouvi algo de novo!
Alguém dizia:

"SAMUEL! SAMUEL!"

Aqui estou Eli!
Eli acordou e disse: “Mas Samuel,
eu não chamei você. Por favor, volte para cama”.

Então eu voltei para cama.

Mas eu ouvi algo de novo!
Alguém dizia:

“SAMUEL! SAMUEL!”

Desta vez, Eli disse:
"Samuel, Deus está chamando você!
Se ouvir Ele chamando de novo, responda".

Então eu voltei para a cama.

Eu ouvi alguém dizer:
“SAMUEL! SAMUEL!”

E respondi: “Sim, Senhor Deus, escutarei
tudo o que o Senhor me dirá.”
Deus falou muitas coisas.
E farei o que Deus me disse para fazer.

Mais forte que um gigante

Olá! Meu nome é Davi.
Eu era um pastor de ovelhas.
Eu cuidava bem das minhas ovelhas.

Algumas vezes um leão queria machucar minhas ovelhas.
Mas eu não deixava o leão machucá-las.
E Deus não deixava que o leão me machucasse.

Eu gostava de cantar.
Eu cantava músicas para Deus,
pois Ele cuidava muito de mim.

Um dia, fui visitar meus irmãos mais velhos.
Eles eram soldados.
Todos os soldados estavam com medo.
Por que será?

Eles estavam com medo desse gigante!
O gigante não gostava de Deus e
ele queria machucar o povo de Deus.

Mas Deus não deixou esse gigante me machucar!

Deus me ajudou a ser forte!
E o gigante caiu.
Então o povo de Deus não tinha mais medo.

Deus nos ajudou. Estávamos contentes!
E eu cantarei para Deus.

Num lugar escondido

Meu nome é Elias. Deus me trouxe aqui a esse esconderijo. Deus cuidará de mim. Mas não tinha comida aqui. O que eu iria comer?

Veja! Deus mandou os pássaros trazerem comida para mim: pão e carne — tão gostosos!

Obrigado, Deus,
por cuidar tão bem de mim!

Onde os leões ficam

Meu nome é Daniel.
Eu amo Deus e oro a Ele,
pois Ele é grande e forte!

Eu comia a comida que é boa para mim.
Então Deus me ajudou para que EU fosse grande e forte.
E eu continuava amando a Deus.
E continuava orando a Ele.

Mas algumas pessoas não gostavam de Deus.
Eles não queriam que eu orasse.
Eles me jogaram num lugar bem escuro,
cheio de LEÕES.

Os leões me machucarão?

NÃO! Deus mandou um anjo para me ajudar.
O anjo de Deus não deixou que os leões
me machucassem. Sim, Deus cuidou de mim!

Histórias do Novo Testamento

O melhor presente do mundo

Meu nome é Maria.
Alguma coisa estava me deixando com medo.

Seria um vendaval?
Ou um barulho muito forte?
O que poderia ser?

OH! É alguém brilhante e luminoso —
um anjo!

“Não tenha medo!”, disse o anjo.
Por isso, eu não estava mais com medo.

O anjo disse:
“Deus está contente com você,
e dará a você um bebê muito importante”.

O anjo disse o nome que o bebê teria.
Não é Samuel, nem Daniel,
nem Zacarias ou Zebedeu,
nem Mateus, ou Tiago, ou Pedro.
Não! Seu nome seria...

JESUS!

Cuidando bem de Jesus

Oi! Meu nome é José.
Maria é minha esposa.

Veja o novo bebê, Jesus, filho de Maria!
Maria cobriu o bebê e o deixou bem quentinho.
Agora, Ele estava dormindo numa manjedoura.

Deus me disse
para cuidar bem de Maria e do bebê Jesus.
E é isto que eu fiz.

TOC, TOC, TOC!
Oh! Alguém veio nos visitar.
Quem seria?

Alguma coisa boa para dizer a você

Oi! Eu sou um pastor.
Meus amigos também são pastores.
Nós cuidamos bem das ovelhas,
e temos alguma coisa boa para dizer a você.

Esta noite, nós colocamos as ovelhas para dormir.
Dizíamos:
“Boa noite, ovelhas. Vão dormir!”.

A noite estava tão escura, TÃO escura.
Todas as coisas estavam paradas e quietas.
Tão paradas, tão quietas. *Shhhh!*
Nenhum som, nenhum movimento.
Então de repente...

TODAS AS COISAS ficaram BRILHANTES!
Vimos um anjo! E ficamos com medo.

"NÃO tenham medo!", disse o anjo.
Então não ficamos mais com medo.

O anjo disse:
“Tenho uma coisa boa para dizer a vocês:
O Filho de Deus nasceu hoje!
Visitem esse importante bebê.
Ele está coberto e bem quentinho,
e dorme numa manjedoura”.

De repente, os anjos estavam por toda parte,
cantando músicas alegres a Deus!
Depois eles foram embora
Bem alto lá no céu...

E nós corremos para visitar o importante bebê!

Sigam a estrela

Somos os reis magos.
Nós vimos lá no alto do céu uma estrela nova
e brilhante. Você está vendo?

POR QUE ela estava aqui?
Porque um bebê muito importante nasceu.
Vamos levar presentes a Ele!

ONDE acharemos o bebê?
Vamos seguir a estrela!
A estrela nos mostrou o caminho.

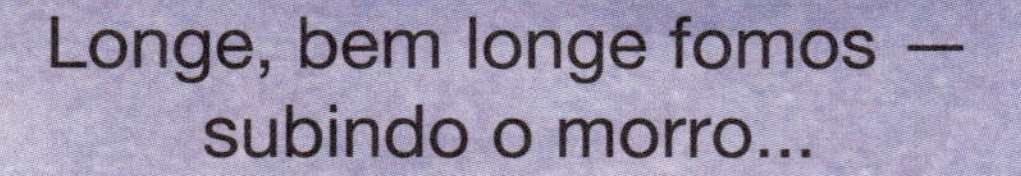

Longe, bem longe fomos —
subindo o morro...

descendo o morro...

por aqui...

por ali...

Vejam! Aqui estava a estrela!
E QUEM acharemos bem
embaixo daquela estrela?

VEJAM!
Aqui estava o bebê Jesus!

Jesus cresce

Vimos o bebê Jesus crescer...

...e cresceu
de todos os modos.

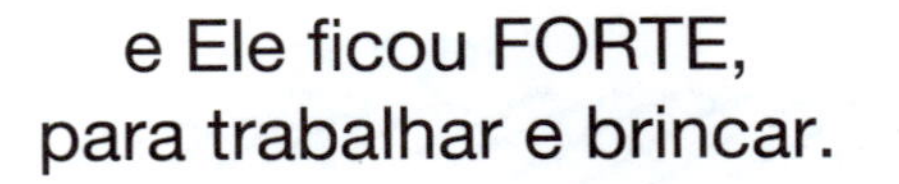

e Ele ficou FORTE,
para trabalhar e brincar.

Ele ficou ALTO
a cada dia que passava.

E Ele sabia quanto
Deus gostava dele!

Sabe quanto
Deus ama você?
Muito, e muito, e muito!

Procure uma pessoa importante

Meu nome é João Batista.
Minhas roupas eram feitas de pelo de camelo –
Eu vestia o que o camelo veste!

No café da manhã e no almoço,
eu gostava de comer gafanhotos —
tão fresquinhos e crocantes para comer.
Hummm!

E no jantar e no lanche,
eu gostava de comer mel —
uma doce, doce gostosura.
Hummm!

Eu não morava numa casa como você.
Morava fora, nas pedras e nos morros,
com as estrelas, o céu e o vento.

Muitas pessoas vinham às
pedras e morros para me ver.
E eu dizia para elas:

“Esperem Alguém mais importante!
PRESTEM ATENÇÃO!
Ele está vindo!”.

Então, um dia eu disse: “VEJAM! Aqui está Ele!

QUEM vocês acham que veio?

SIM, Ele mesmo! Aqui está Jesus —
perfeito, tão bom e forte...
e Ele sabia o quanto
Deus gostava dele!

Um dia com Jesus

Oi! Meu nome é André.
Eu e meu amigo vimos Jesus andando, e gostaríamos de ir com Ele.

Então perguntamos a Jesus: “Onde você mora?”.

Jesus respondeu: “Venham e vejam”.
Então fomos com Jesus.

Ficamos o dia inteiro com Jesus.
Conversamos, rimos e oramos,
até que o sol começou a se esconder...

e a lua e as estrelas
vieram brincar no céu.

Sim, não há nada melhor
do que ficar um dia com Jesus!

Um garotinho doente

Eu sou um soldado.
Meu filhinho estava doente.
Ele estava MUITO doente!
Tinha medo que ele NUNCA melhorasse.

Então fui correndo procurar Alguém.
QUEM você acha
que eu queria encontrar?

Encontrei Jesus!
"Senhor Jesus", eu disse,
"por favor, faça meu filhinho ficar bom".

Então Jesus disse:
"Você pode ir agora para casa. Seu filho já sarou".

Eu corri para casa.
E QUEM você acha
que vi em minha porta?

WELCOME

Eu vi meu filhinho!
Jesus fez ele ficar bom.

Indo pescar

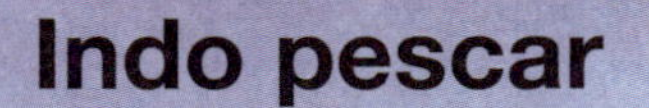

Olá! Meu nome é Simão Pedro.
André é o meu irmão.
Esse era o nosso barco de pesca.
Em uma noite fomos pescar.

Lá onde o lago é fundo,
jogamos a rede na água. *SPLASH!*
A rede foi afundando, afundando, afundando.

Nós esperamos um pouquinho.

Então, puxamos a rede para cima, para cima.
Oh! Não veio nenhum peixe desta vez!

Eu disse: “Vamos tentar de novo”.
Lá foi a rede afundando, afundando, afundando.

Esperamos um pouquinho.

Então puxávamos a rede para cima, para cima.

Oh! Nenhum peixe outra vez!

Tentamos de novo.
A rede foi afundando, afundando, afundando...

...esperamos um pouquinho.

Então puxávamos, puxávamos, puxávamos a rede para cima.

Oh! Outra vez, nenhum peixe!

Estávamos TÃO cansados!
Pescamos a noite inteira.

E não pescamos nenhum peixe?
Não. Nem um só!

Queríamos ir pra casa descansar.
Mas primeiro vamos prestar
atenção ao que Jesus disse.
Ele disse:

“Voltem ao lugar onde o lago é fundo.
Pesquem alguns peixes com sua rede!”

Então levamos o barco
ao lugar onde o lago é fundo, pois
somente Jesus disse para fazermos isto.
Jogamos a rede e ela afundou, afundou...

...e esperamos um pouquinho.
VOCÊ acha que pescamos algum peixe?

SIM, PESCAMOS...

tudo porque Jesus nos disse para pescar!

Jesus colocou a mão em mim

Olhem para mim! Estava doente.
Você vê minha pele cheia de feridas?
Doía muito!

O dia inteiro minha pele doía.
Ai! Ui!

A noite inteira minha pele continuava doendo.
Ai, ai! Ui, ui!

As feridas ficavam cada vez piores.

Por isso, eu procurei Jesus e disse: “Senhor Jesus, se o Senhor quiser, pode me curar”.

Jesus disse: “EU quero”.
Então Jesus colocou a mão em minha cabeça.
Senti sua mão grande e forte.
E Ele disse: “Fique bom!”

Olhem para mim, todos!
Minha pele não doía mais.

E VOCÊ sabe por quê?
Jesus me curou.

Em todos os lugares com Jesus

Nós somos os discípulos de Jesus.
Íamos a TODOS OS LUGARES com Ele.
Viajávamos pela estrada com Ele.

Subíamos uma montanha com Ele.

E ficávamos perto
quando Jesus conversava com muitas pessoas.

Uma noite, Jesus disse:
"Vamos ao outro lado deste lago".

Então entramos no barco com Jesus.
Mas a noite estava escura. De repente,
surgiu um vento muito forte!

O vento soprava...
UUSH! UUSH! UUSH!

E a água pulava: *SPLASH! SPLASH!*
SPLASH! Oh, estávamos com medo!

Mas Jesus não estava com medo. Ele dormia.
"Senhor Jesus, Acorde!
Nos salve desta terrível tempestade!".

Quando Jesus acordou, Ele disse:
“Por que vocês são tão medrosos?”.

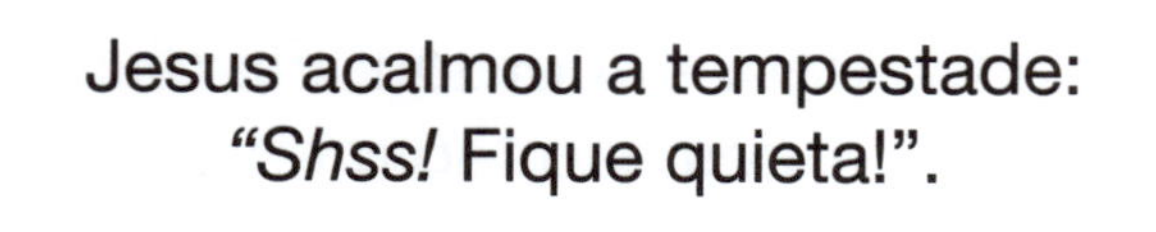

Jesus acalmou a tempestade:
"Shss! Fique quieta!".

A tempestade parou na hora.
Tudo ficou quieto.
Em silêncio, calmo.

E nós, os discípulos, dissemos:
"Até o vento e a água obedecem
ao que Jesus diz!".

Uma menininha doente

Meu nome é Jairo.
Minha filhinha estava doente.
Ela estava MUITO doente!
Estava com medo que ela NÃO melhorasse.

Então eu corri para encontrar Alguém.
QUEM você acha
que queria encontrar?

Encontrei Jesus!
Eu disse: “Senhor Jesus,
por favor, faça minha filhinha melhorar”.

Então Jesus foi comigo à minha casa.

Quando chegamos perto de casa,
alguém triste veio e disse:
"Sua filhinha NÃO ficará boa".

Vimos todas as pessoas chorando.
Mas Jesus me disse:

“Não tenha medo. Ouça apenas o que eu digo: sua filhinha VAI melhorar!”

Jesus entrou na casa.

Eu o escutei dizer:
"Menina, levante-se!"

E agora,
QUEM você acha que vi?

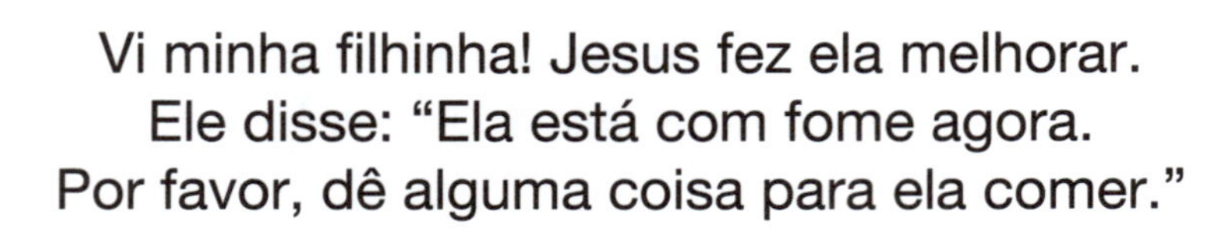

Vi minha filhinha! Jesus fez ela melhorar.
Ele disse: “Ela está com fome agora.
Por favor, dê alguma coisa para ela comer.”

Meu lanchinho

Eu sou apenas um garotinho
com apenas um lanchinho.
Escutei Jesus falar o dia inteirinho,
e agora eu estava com fome!

Olhei ao meu redor:
QUANTA GENTE!
Eles escutavam Jesus
falar o dia inteiro.
Jesus disse que eles estavam
com fome também, e
disse que eles não tinham
comida — nada,
nada para comer.

Então eu disse: “Repartirei meu lanchinho!”
Os discípulos levaram meu lanche a Jesus.

Jesus olhou para cima, e orou a Deus:
"Obrigado, Pai,
por esta boa comida".

Então Ele deu o meu lanche
a todas as pessoas com fome. Mas será que meu
lanchinho alimentaria a todos?

SIM!
Jesus fez o meu lanchinho
virar UM MONTÃO DE COMIDA
para MUITAS PESSOAS!

E ninguém mais ficou com fome.

Eu não podia ouvir

Por muito tempo, meus ouvidos ficaram doentes.
Eles estavam fechados;
não conseguia ouvir nada.

Os passarinhos podiam cantar.
Piu, piu! Piu, piu!
Mas eu não conseguia ouvir.

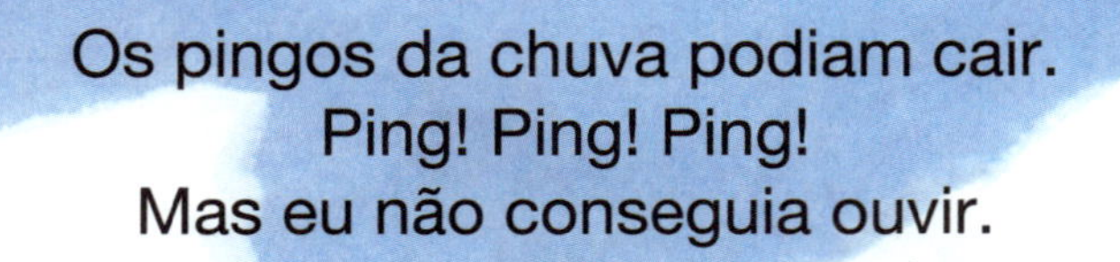

Os pingos da chuva podiam cair.
Ping! Ping! Ping!
Mas eu não conseguia ouvir.

As crianças podiam rir e brincar.
Mas eu não percebia.
Eu não ouvia o seu barulho.
Não podia ouvir NADA!

Então, um dia, Jesus chegou.
Ele encostou o dedo em meus ouvidos.

AGORA SIM, eu podia OUVIR!
Ouvia todos gritando: “Jesus é MUITO bom!”.

Venham para perto de mim, pequeninos

Éramos crianças
e queríamos ver Jesus.
Mas as PESSOAS GRANDES
cercavam Jesus.
Então ouvimos Ele dizer...

“Venham perto de mim, pequeninos!”
Jesus nos ergueu e nos colocou em seus braços.
Ele deu um abraço
e um sorriso!
E disse...

“O céu foi feito para crianças
como VOCÊS!”

Num lugar muito escuro

Meu nome é Lázaro.
Eu estava num lugar muito escuro.
Eu não enxergava e
escutava mais nada.

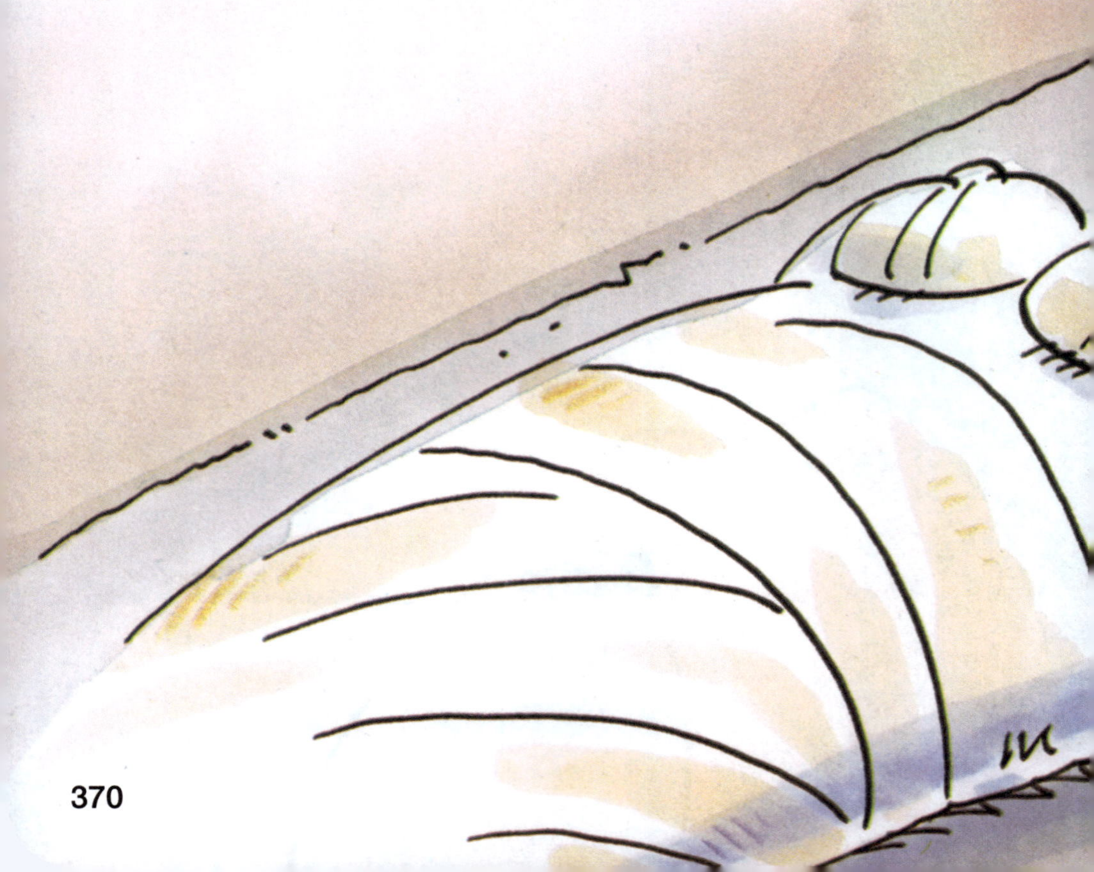

Mas ouçam! Eu ouvi algo.
Alguém dizendo:
“LÁZARO! SAIA DAÍ!”

Então, devagarinho, me levantei,
e devagarinho fui saindo
daquele lugar muito escuro.
E QUEM eu vi abrindo os braços para mim?

ISSO MESMO! Meu melhor amigo, Jesus!
Ele nos chama a todos para sair
do lugar escuro, escuro.
Ele nos traz para onde há luz!

Jesus em minha casa

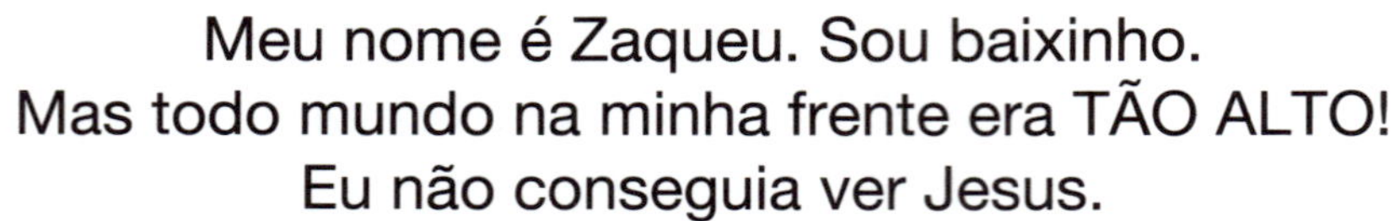

Meu nome é Zaqueu. Sou baixinho.
Mas todo mundo na minha frente era TÃO ALTO!
Eu não conseguia ver Jesus.

Por isso, eu corri, corri, corri
até uma árvore bem perto da estrada.

E subi bem lá em cima.

E esperei Jesus
passar perto da árvore.

“AQUI ESTÁ ELE!”
Agora eu podia ver a Jesus.
E Ele podia ME ver
aqui no alto da árvore.

Então Jesus me disse: “Desça depressa, Zaqueu!
Ficarei hoje na sua casa”.

Então eu desci da árvore.

E disse a Jesus:
"Estou muito contente porque o Senhor veio hoje me visitar!"

Eu não conseguia enxergar

Faz muito tempo
que meus olhos estavam doentes.
Eles só enxergavam uma coisa escura,

e eu não podia enxergar nada.
Um arco-íris podia brilhar nas nuvens.
Mas não conseguia enxergar.

Uma flor podia crescer perto da estrada, mas eu
não conseguia enxergar.

A lua podia brilhar a noite.
Mas eu não conseguia enxergar.

Eu não conseguia enxergar NADA!

Então, um dia, Jesus chegou.
E eu gritei: "Jesus, por favor, me AJUDE!"

Jesus me chamou para perto dele e disse:
“O que você quer que eu faça a você?”

“Querido Jesus”, respondi,
“quero ENXERGAR!”

Jesus colocou os dedos em meus olhos.

E AGORA, SIM, agora eu podia ENXERGAR!
Eu podia enxergar JESUS!
Então eu fiquei perto de Jesus
para que eu pudesse ver Jesus sempre, sempre!

Louvado seja o Rei

“Todos vocês, VEJAM!
Aí vem Jesus.
Ele está montado num jumentinho.”

Jesus é o nosso Rei!
Por isso, cantávamos bem alto:
Louvado! Louvado! Louvado seja o Rei!

Então alguém apareceu e disse:
"Jesus, estas pessoas cantam muito alto!"

Mas Jesus respondeu:
“Este canto não pode parar!”

Louvado! Louvado!
LOUVADO SEJA O REI!

Na sala de cima

Oi! Meu nome é João.
Venham! Subam estes degraus comigo!

Vocês veem este grande jantar?
Pedro e eu estávamos preparando tudo.
Jesus comeu este jantar
com seus queridos amigos.

Todos chegaram!
Primeiro veio Jesus.
“Olá, Jesus!”

Aqui estavam os seus discípulos,
seus queridos amigos.
“Olá, discípulos!”

Mas vejam, como seus pés estavam sujos!

Todos começaram a comer o grande jantar.
Então Jesus se levantou.

E pegou uma toalha,
e uma grande bacia cheia de água.

E lavou todos aqueles pés sujos!
Jesus amava seus amigos!
Ele gostava de ajudá-los.
E Ele gosta de ajudar a mim e a você.

Esta manhã eu vi Jesus

Meu nome é Maria Madalena.
Naquela manhã eu estava muito triste.
Algumas pessoas malvadas machucaram Jesus
e puseram Ele num lugar escuro, escuro.

Aqui era o lugar escuro, escuro.
Eu olhei lá dentro.

Jesus não estava aqui!
Onde será que Ele estava?

Eu chorava muito
Então ouvi alguém dizer:
"Por que está chorando?"
E quando olhei para cima...

... e vi JESUS!
“Oh, Senhor Jesus!”

E Jesus disse:
“Maria, vá contar aos meus discípulos
que logo vou subir ao céu”.

Eu corri e encontrei os discípulos e lhes contei:
“Esta manhã eu vi Jesus!
E Ele nunca mais vai ficar
naquele lugar escuro!”

Jesus vai ao céu

Bem no alto de uma montanha,
nós, os discípulos, estávamos com Jesus.
E Ele disse...

“Em todos os lugares aonde vocês irão,
digam a todos o que vocês viram
que Eu disse e fiz!”

Então Jesus subiu, subiu, subiu
bem alto nas nuvens —
sempre subindo até ao ceu...
sempre subindo até Deus.

Mas não fiquem tristes.
Algum dia Jesus voltará —
Sim! Ele voltará no meio das nuvens.
E você e eu veremos Jesus —
SIM! NÓS O VEREMOS!

Dicas aos pais

Ensinando a Bíblia aos pequeninos

Ao ler a seus filhos a partir de uma Bíblia completa ou de um livro de histórias bíblicas, como *A Bíblia dos Pequeninos,* eis algumas dicas que ajudarão na leitura:

- ESTEJA CONSCIENTE de dar um passo sensato ao colocar a Bíblia diante de seus filhos. Este livro contém um apelo e valor universal para as crianças pequenas: histórias singulares e dramáticas... fortes e convincentes apresentações do certo e do errado... e a inevitável mensagem do caráter e amor de Deus. Lendo as histórias da Bíblia em voz alta, você colocará nas mãos de seus filhos uma fonte duradoura de segurança, sabedoria e encorajamento.

- ESTEJA PRONTO para reler as histórias Os pequeninos gostam das repetições — eles se alegram ao reconhecer algo que ouviram anteriormente, e sentem-se orgulhosos por reconhecê-la. Dê a seus filhos muitas oportunidades de usufruir deste sentimento!

  Depois de se deliciarem juntos com as variadas histórias, você pode permitir que seus filhos escolham a história a ser lida. Seja um herói para eles ao demonstrar grande deleite em suas histórias favoritas!

- FOCALIZE o lado divertido! Tente diversas alterações no volume e tom de sua voz. Você não se tornará cansativo lendo uma história pela vigésima vez se a cada leitura, procurar dizer as palavras com uma entonação e jeitinho diferente, melhorando constantemente seu “desempenho”.

- NÃO SE ENVERGONHE de mostrar claramente as emoções apropriadas a cada história. À medida que for lendo, seja como uma criança, revelando espanto, preocupação, alívio, medo etc.

- ★ ACOLHA com interesse as perguntas e comentários de seus filhos. Considere o momento de leitura da Bíblia não apenas como um meio de informação e entretenimento, mas sim como um momento de conversa pessoal entre você, seus filhos e Deus.

- ★ OBSERVE o interesse de seus filhos pela Bíblia, faça perguntas e acrescente seus comentários. Crie em seu lar o hábito de falar sobre a Bíblia e usufrui-la em família.

- ★ FINALMENTE, esteja consciente da poderosa singularidade da Bíblia. Ela é um incomparável livro a ser lido para as crianças e tem valor para o seu desenvolvimento intelectual, moral e espiritual. Você nunca limitaria a dieta alimentar de seus filhos apenas a lanches e doces. Da mesma forma, o caráter e o crescimento de sua família depende de uma dieta saudável. Não existe nenhum "alimento sadio" melhor que a Bíblia para as nossas mentes e corações, seja qual for a idade!